Pour notre petite reine, Apolline
et notre petit roi, Édouard

© 2003, l'école des loisirs, Paris

Loi N° 49 956 du 16 juillet 1949,
sur les publications destinées à la jeunesse :
décembre 2004.
Dépôt légal : décembre 2004

Mise en pages : *Architexte*, Bruxelles
Photogravure : *Media Process*, Bruxelles
Imprimé en Belgique par *Proost*

La petite reine

Texte d'Émile Jadoul
illustrations de Catherine Pineur

PASTEL
l'école des loisirs

Il était une fois une petite reïne...

Qui faisait
tout ce qu'elle voulait,
qui disait
tout ce qu'elle voulait,
qui décidait
tout ce qu'elle voulait.
C'était la reine,
après tout !

Et une reine,
on la chouchoute,
on la dorlote,
on lui raconte
des histoires...

Un jour,
un petit roi
est arrivé...
Et il est resté !

La petite reine n'a pas aimé du tout.

La petite reine
a boudé
et n'a plus voulu
manger.

La petite reine a fait des bêtises.

La petite reine
a voulu prendre
la place
du petit roi.

La petite reine
a voulu chasser
le petit roi
et le faire
disparaître.

Ça n'a pas marché.
Alors,
elle a regardé
le petit roi et
elle a réfléchi.

Une petite reine a besoin d'un petit roi, n'est-ce pas ?